めざせ！やさい名人

監修：**河村 亮**（三和農園）　指導：**加藤真奈美**（学習院初等科教諭）・**長代 大**（学習院初等科教諭）

④ ピーマン・トウモロコシ

小峰書店

この本を読む みなさんへ

　みなさんは、やさいを　そだてたことが　ありますか？　小さなたねや　なえから、だんだんと大きくなっていく　やさいを見るのは、とても楽しいものです。そして、自分でそだてた　やさいを食べると、いつもより　もっとおいしく　かんじられます。どうしてだと思いますか？　それは、みなさんが　そだてるために　がんばった時間や　きもちが、やさいのあじに　くわわるからなんです。

　この本では、やさいを　そだてるときのコツやポイント、かんさつや、かんさつしたことを　まとめるほうほうを　しゃしんと絵をつかって　わかりやすく　しょうかいしています。やさいは、しゅるいによって　ちがう形を　していたり、はっぱや花のようすが　ちがったりします。よくかんさつすると、「こんなふうになっているんだ！」という　新しいはっけんが　たくさんありますよ。
　ぜひ、この本を　さんこうにして、いろいろなやさいを　そだててみてください。自分でそだてたやさいは、とくべつです。楽しくそだてて、食べて、やさいのことをもっと　すきになってくださいね！

河村　亮（三和農園）

この本に出てくるのは…

カワムラさん

やさいづくりのプロ。ピーマンやトウモロコシのほか、いろいろなやさいを　つくっている。

シオリさん

生きものを　そだてたり、かんさつしたりするのが　大すきな小学2年生。

リンさん

おいしいものが　大すきな小学2年生。もちろん　やさいも大すき！

もくじ

さいばいとかんさつの じゅんびを しよう ……… 4
　さいばいに つかうもの ……………………………… 4
　かんさつに つかうもの ……………………………… 5

ピーマンを そだてよう! ……………………………… 6
　ピーマンは どんな やさい? ………………………… 6
　ピーマンは どうそだつの? ………………………… 7
　なえを うえよう! ……………………………………… 8
　花が さいたよ! ……………………………………… 10
　　かんさつ名人になろう! かんさつしたことを かこう! ……… 12
　やさいのプロに 聞いてみよう! ……………………… 13
　みが できたよ! ……………………………………… 14
　　かんさつ名人になろう! ピーマンとトウガラシ ……… 16

トウモロコシを そだてよう! ……………………… 18
　トウモロコシは どんな やさい? …………………… 18
　トウモロコシは どうそだつの? …………………… 19
　なえを うえよう! …………………………………… 20
　　かんさつ名人になろう! ぎもんを かいけつしよう! ……… 22
　やさいのプロに 聞いてみよう! ……………………… 23
　花が さいたよ! ……………………………………… 24
　みが できたよ! ……………………………………… 26

ピーマンとトウモロコシのことを まとめよう … 28
　紙しばいを つくろう ………………………………… 28
　絵はがきを かこう …………………………………… 29
　ピーマンのミニちしき・トウモロコシのミニちしき … 30
　さくいん ……………………………………………… 31

どうがの 見かた

この本のQRコードを タブレットやスマートフォンのカメラで読みこむと、インターネットで どうがを見ることが できます。

なえのうえかたを どうがで見てみよう!

QRコード

がめんにQRコードがうつるようにします。

QRコードは、デンソーウェーブの登録商標です。

さいばいとかんさつ

さいばいに つかうもの

ピーマンやトウモロコシを そだてるとき、どんな ものが ひつようかな?

ピーマンの なえ　**トウモロコシの なえ**

なえは、たねから めが 出たあと、
少し そだてたもの。

ジョウロ　　　**シャベル（スコップ）**
やさいに 水をやる どうぐ。　土をほる どうぐ。

ひも
やさいと しちゅうを むすぶ
ときに つかう。テープを つ
かっても よい。

プランターや うえきばち
やさいを そだてるときに つか
う 入れもの。

しちゅう
やさいが たおれないように
ささえる ぼう。
ピーマンを そだてるときは、
1m くらいのものを
3本 よういすると
よい。

土（ばいよう土）
ひりょうを まぜた土を
ばいよう土という。

ひりょう
やさいのえいように
なる。

の じゅんびを しよう

🔍 かんさつに つかうもの

ピーマンやトウモロコシを かんさつするとき、どんな ものが ひつようかな？

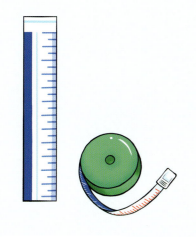

ものさし、メジャー

くきの高さや はっぱの大きさを はかるときに つかう。

ひっきようぐ

文や絵で かんさつしたことを きろくするときに つかう。絵は、色えんぴつや クレヨンを つかって はっぱや花の色が わかるようにする。

虫めがね

はっぱや花のようすを 大きくして 見ることが できる。

かんさつカード、ノート

かんさつして わかったことを かいておく。かんさつカードは、この本のさいごの ページを コピーして つかおう。

タブレットたんまつ

やさいの しゃしんを とったり、気づいたことを ろくおんしたり して、きろくする。

ピーマンを そだてよう！

はじめに、ピーマンのことを　しらべてみましょう。

🍦 ピーマンは どんな やさい？

　ピーマンは、あたたかいところで生まれた　やさいです。
だから、あたたかいきせつに　よく　そだちます。
　わたしたちが　食べるのは、ピーマンの
わかい　みです。
　みの中は、3つのへやに　分かれていて、
まん中に　たねが　たくさんあります。

へたが ついているよ。

みどり色だよ。

みの大きさ
7cm くらい

つるつるしているよ。

みを よこに切ったところ

へや

たね

ピーマンは どうそだつの?

春に ピーマンのたねを まくと、めが 出てきます。

しばらくすると はっぱが ふえて、せが のびます。

そして 花が さいて、みが できます。

みの中には、たねが 入っていて、春にまくと、また めが 出てきます。

ピーマンのたね

ピーマンの せいちょう

ピーマンの花
おしべの花ふんが めしべについて じゅふんすると、みが できます。

花びら
めしべ
おしべ

これが なえだよ。

たね
4月ごろ

めが 出る
5月ごろ

はっぱが ふえる

花
花が さく
6月ごろ

はっぱ
み
くき
ねっこ（ね）
みが できる
7月ごろ

ピーマンを そだてよう!

なえを うえよう!
（さいばいスタート）

ピーマンのなえを はたけやプランターに うえましょう。
ねっこが よくのびて、元気にそだちます。

なえのうえかた

① はじめに、ポットに入った なえに 水を たっぷり やる。

② なえが 入る大きさの あなを ほって、そのあなに 水を たっぷり やる。

③ なえを ポットから そっと 出して、あなに うえる。

くきを ゆびで はさむ。

④ しちゅうを 立てて、ひもで なえと しちゅうを むすぶ。

ひもが「8」の字になるように むすぶ。

⑤ 水を ねもとにかけるように たっぷり やる。

なえのうえかたを どうがで見てみよう!

くきは、少しずつ 太くなっていくよ。だから ひもは、ゆったり むすぶ ようにしよう。

ピーマンのはっぱを さわると、つるつるしているよ。

かんさつ名人になろう！

見る
はっぱは、どんな 色や形を しているかな？ はっぱは、なんまい あるかな？

さわる
はっぱや くきを さわると、どんな かんじかな？

かぐ
はっぱは、どんな においが するかな？

はかる
なえのせは、どのくらいの 高さかな？ はっぱの大きさも はかってみよう。

ピーマンを そだてよう!

さいばい3週め〜

花が さいたよ!

ピーマンの花が さきはじめました。わきめも 出てくるので、とっておきましょう。

わきめのとりかた

わきめは、くきと はっぱの間から出る 小さな めです。
さいしょの花が さいたら、それより 下にある わきめを ゆびで つまんで、ポキッと おって とりましょう。

わきめは、そだつと くきに なるんだ。くきが ふえすぎると、みに えいようが いかなく なるよ。だから わきめは、早めに とっておこう。

花は、どうかわるかな?

つぼみが できる

↓

花が さく

↓

花が かれる

かんさつ名人になろう！
かんさつしたことを かこう！

1 気づいたことを ことばにしよう

はっぱや くきは、どんな 色や形を しているか、大きさや高さや数は、どれくらいかを かんさつして、くわしく かきましょう。

① 「ざらざら」「つるつる」のように、ようすを あらわすことばで ひょうげんしてみましょう。

② ほかのものとくらべて 色や高さを あらわしたり、にているものを さがして たとえを つかったりすると、つたわりやすくなります。

はっぱも くきも、みどり色を しているね。

はっぱを さわると、つるつる しているよ。

2 絵を かこう

絵は、ぜんたいを かくほうほうと、ひとつのぶぶんを 大きく かくほうほうが あります。つたえたいことが よくわかるように、かいてみましょう。

なえの ぜんたいを かくと、どんな 形を しているかが わかる。

よく見ると…

はっぱだけを 大きくかくと、はっぱのようすが くわしく わかる。

3 かんさつカードを かこう

- やさいの名前
- 学年・組・番ごう・名前
- 日づけ・天気
- だいめい
  その日に したことや、はっけんしたことを かんたんに かこう。
- 絵
  やさいのようすを 絵に かこう。
- せつめい
  色や形、大きさ、ほかにもかんさつして わかったことを かこう。

ピーマンのなえをうえました。はっぱは、みどり色で、先のほうがとがっていました。はっぱをさわったら、つるつるしていました。なえの高さは 15 センチメートルくらいでした。いっぱいみができるように、せわしようと思います。

かんさつカードは、この本のさいごの ページを コピーして つかいましょう。

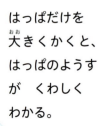

やさいのプロに 聞いてみよう！

ひりょうは いつ やれば いいの？

　さいしょの花が さいたあとは、2週間に1回、ひりょうを やりましょう。

　ひりょうを ピーマンのねもとから 少しはなれたところに まきます。

　ピーマンは、ひりょうを やりすぎると、弱ってしまいます。だから、ひりょうは、やりすぎないようにしましょう。

ピーマンに 元気が ない！どうすれば いいの？

　水が 足りなくならないようにしましょう。プランターでそだてているときは、毎朝 水を やります。畑でそだてているときは、土が かわいていたら 水を やります。

　はっぱに 虫が ついて、食べられてしまうことも あります。虫を 見つけたら、テープや わりばしを つかって とるようにしましょう。

　はっぱに 白や黄色のもようが できていたら びょうきなので、そのはっぱは、とりましょう。

ピーマンに つきやすい虫

アブラムシ

カメムシ

小さい虫を とるには、テープが べんりだよ。こういうふうに、テープの、のりがついているほうを 外がわにして、ゆびに まきつけるんだ。

13

ピーマンを そだてよう!

さいばい 5週め〜

みが できたよ!

ピーマンの花が かれて、みが できました。
みの大きさが 7cm くらいになったら、
しゅうかくしましょう。

しゅうかくのしかた

かたほうの手で みを ささえます。
そして、はんたいの手にもったはさみ
で みの つけねを 切りましょう。

ここを 切る。

みが そだちすぎると、
ぶよぶよになって
おいしくないよ。
みは、早めに
しゅうかくしよう。

しゅうかくのしかたを どうがで見てみよう!

かんさつ名人になろう！

見る
みは、どんな色や形をしているかな？ いくつあるかも 数えてみよう。

さわる
みを さわると、どんな かんじが するかな？

かぐ
みは、どんな においが するかな？

はかる
みの長さや おもさは、どのくらいかな？

みは、どうかわるかな？

ピーマンのみは、じゅくすと赤くなる。

かんさつ名人になろう！

ピーマンとトウガラシ

ピーマンは　からくないトウガラシ

　ピーマンは、からくありませんが、トウガラシは、とてもからい　あじがします。でも、このふたつは、同じなかまの　やさいなのです。はっぱや　花を見ると、ピーマンとトウガラシが　よく　にていることが　わかります。

ピーマン

はっぱ

はばが　広くて、先が　とがっている。

花

花びらは、白くて、つけねが　つながっている。

トウガラシ

はっぱ

はばが　細くて、先が　とがっている。

花

花びらは、白くて、つけねが　つながっている。

お店で見た
パプリカもピーマンに
にていたよ。

シシトウガラシも
ちょっと
にているかも。

そのとおり！
パプリカもシシトウ
ガラシも、ピーマンの
なかまなんだよ。

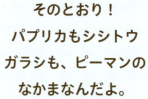
パプリカ
シシトウガラシ

み

みは、下むきに つく。はじめは、みどり色で、じゅくすと赤くなる。

みは、ふっくらしていて、中に たねが あつまっている。みと たねの間には、何もない。

 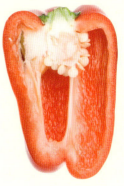

じゅくす前　　　じゅくしたあと

み

みは、上むきに つく。はじめは、みどり色で、じゅくすと赤くなる。

みは、細長くて、まん中に たねが あつまっている。みと たねの間には、何もない。あじは、とても からい。

じゅくす前　じゅくしたあと

トウモロコシを そだてよう！

はじめに、トウモロコシのことを　しらべてみましょう。

🔸トウモロコシは　どんな やさい？

トウモロコシは、あたたかいところで生まれた やさいです。だから、夏に　よく　そだちます。

わたしたちが　食べるのは、トウモロコシの みです。みの　ひとつひとつは、黄色くて 小さな　つぶです。

それが　たくさんあつまっていて、 黄みどり色のはっぱに　つつまれています。

> トウモロコシを 大きくなる前に しゅうかくしたもの は、ヤングコーンと いうよ。

- 細いひげが　たくさんあるよ。
- 小さなみが　あつまっているよ。
- はっぱに　つつまれているよ。
- みの長さ 20cm くらい

ヤングコーン

トウモロコシは どうそだつの?

トウモロコシのたねは、みを よく かわかしたものです。

春に たねを まくと、めが 出ます。

しばらくすると はっぱが ふえて、せが のびます。そして 花が さいて、みが できます。

みを かわかして 春にまくと、また めが 出てきます。

トウモロコシのたね

トウモロコシの せいちょう

トウモロコシの花

トウモロコシの花には、「おばな」と「めばな」の2しゅるいが あります。

おばなの花ふんが めばなに つくと、みが できます。

おばな　めばな

これが なえだよ。

おばな
めばな

はっぱ
み
くき
ねっこ (ね)

 たね　 めが 出る　 はっぱが ふえる　花が さく　みが できる

4月ごろ　5月ごろ　6月ごろ　7月ごろ

トウモロコシを そだてよう!

さいばいスタート なえを うえよう!

トウモロコシのなえを はたけやプランターに うえましょう。
なえは 何本(なんぼん)か うえるようにしましょう。

なえのうえかた

① はじめに、ポットに入(はい)った なえに 水(みず)を たっぷり やる。

② 土(つち)に、ポットのなえが 入(はい)る大(おお)きさの あなを ほる。

③ なえを ポットから そっと 出(だ)して、あなに うえる。

くきを ゆびで はさむ。

④ なえを うえたら、ねもとに 土(つち)を よせる。

なえのうえかたを どうがで見(み)てみよう!

トウモロコシの みを つくるには、なえが 何本(なんぼん)か ひつようだよ。
うえるときは、なえと なえの間(あいだ)を 30cm(センチメートル)くらい あけてね。

⑤ 水を ねもとにかけるように たっぷり やる。

トウモロコシの はっぱは、細長い 形を しているよ。

かんさつ名人になろう!

👀 見る
はっぱは、どんな 形かな? はっぱや くきの 色も 見てみよう。

✋ さわる
はっぱや くきを さわると、どんな かんじかな?

👃 かぐ
はっぱは、どんな においが するかな?

📏 はかる
なえのせは、どのくらいの 高さかな?

かんさつ名人になろう！
ぎもんを かいけつしよう！

1 本などでしらべる

　としょかんで やさいのそだてかたの本を さがして、しらべてみましょう。
　インターネットの けんさくで しらべることも できます。
　インターネットは、おとなの人と いっしょに つかいましょう。

2 じょうほうを こうかんする

　クラスやグループで話しあって、やさいのせわで こまっていることや わかったことを つたえあいましょう。
　教室や ろうかに そうだんコーナーを つくって、知りたいことや、教えてあげたいことを つたえあう ほうほうもあります。

3 くわしい人に インタビューしよう！

　のうかの人や やさいのことに くわしい人に 話を 聞いてみましょう。
① 行く前に、聞きたいことを せいりして かじょうがきで かいておく。
② あいてが いそがしくないかを たしかめる。
③ さいしょに あいさつを して、自分の名前を 言う。
④ あいてを 見て、はっきりした声で 聞く。聞いたことは、メモしておく。
⑤ おわったら、おれいを 言う。

やさいのプロに 聞いてみよう！

トウモロコシを たねから そだてたい！どうすれば いいの？

4月の中ごろから 5月の間に たねを まきましょう。トウモロコシは、1本だけだと みが できないので、何本か そだてるようにしましょう。

ふかさ 1cm くらいの あなに たねを 2、3つぶまく。同じように、30cm くらい はなれたところにも たねを まく。

土を かぶせて、かるく おさえる。そのあと、たっぷり水を やる。

めが 出て はっぱが ふえたら、元気がよい なえを 1本だけ のこして、ほかは、引きぬく。はなれたところに 出ためも同じように 1本だけ のこす。

トウモロコシに 元気が ない！どうすれば いいの？

プランターや畑の土が かわいていたら、たっぷり水を やりましょう。
　おばなが 見えてきたころ、ひりょうを ねもとの近くに まくと、みが よく そだちます。
　虫を 見つけたときは、テープや わりばしで とっておきます。

トウモロコシに つきやすい虫

アブラムシ

アワノメイガの よう虫

アワノメイガの よう虫は、みを 食べてしまうんだ。見つけたら、すぐにとろう。

23

トウモロコシを そだてよう!

さいばい 3週め〜

花が さいたよ!

トウモロコシの おばなと めばなが さきました。
みが できるように、じゅふんさせましょう。

トウモロコシの めばなを さわると、べたべた しているよ。

じゅふんのしかた

おばなの花ふんが めばなに つくことを 「じゅふん」と いいます。じゅふんには、トウモロコシが 2本ひつようです。
はじめに、トウモロコシの おばなを 切ります。それを べつの トウモロコシの めばなの上で ふります。そうすると こなのような花ふんが めばなについて、じゅふんします。

じゅふんのしかたを どうがで 見てみよう!

1本のトウモロコシの おばなと めばなでは、じゅふんしない。
だから めばなとは、べつのトウモロコシの おばなを つかってね。

かんさつ名人になろう!

見る	さわる	かぐ	はかる
おばなと めばなは、どんな 色や形を しているかな?	おばなと めばなを さわると、どんな かんじが するかな?	おばなと めばなは、どんな においが するかな?	おばなと めばなの大きさは、どのくらいかな?

トウモロコシのおばなは、20cmくらいの長さだったよ。

トウモロコシを そだてよう!

さいばい 6週め〜

みが できたよ!

トウモロコシの めばなが かれて、みが できました。みから出ているひげが ちぢれて 茶色(ちゃいろ)になったら、しゅうかくしましょう。

しゅうかくのしかた

みを りょう手で しっかりもって、ねじりながら 下(した)にむけて おると、みを とることが できます。

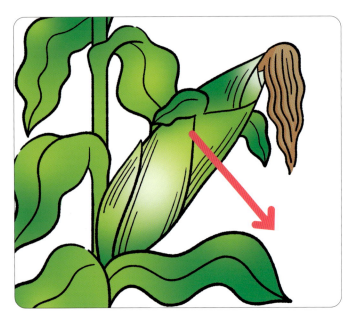

> 手(て)で おるのが むずかしいときは、はさみで みの ねもとを 切(き)ろう。

しゅうかくのしかたを どうがで見(み)てみよう!

ピーマンとトウモロ

ピーマンやトウモロコシを そだてて かんじたことや わかった ことを みんなに つたえましょう。

紙(かみ)しばいを つくろう

　ピーマンを そだてているときのことや かんじたことを お話(はなし)にして、紙(かみ)しばいを つくりましょう。

①ある日(ひ)、ピータのはっぱに、虫(むし)が いました。

②つぎの日(ひ)、こわかったけど、ゆびにテープを まいて 虫(むし)を とりました。

③しばらくして、虫(むし)をとったピータのはっぱは、元(もと)のように 元気(げんき)になりました。

コシのことを まとめよう

絵はがきを かこう

トウモロコシのことを 絵はがきに かいて、つたえてみましょう。

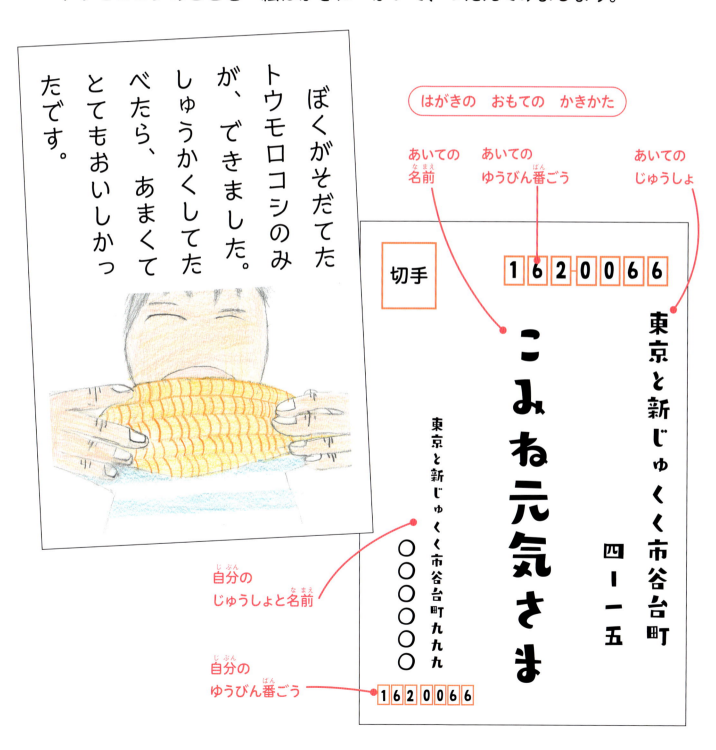

ピーマンとトウモロコシのことを まとめよう

🖍 ピーマンのミニちしき

しんせんなピーマンの 見分けかた

　お店でピーマンを 買うときは、こい みどり色で つやつやしているものを えらびましょう。
　しんせんなピーマンは、へたも みどり色で、へたのまわりが もりあがっています。

ここが もりあがっている。

ピーマンの ほぞんのしかた

　ピーマンをあらって、水気を しっかり とりましょう。
　そのあと、キッチンペーパーで ひとつずつ つつみます。そして ポリぶくろに 入れて、れいぞうこの やさい室で ほぞんしましょう。

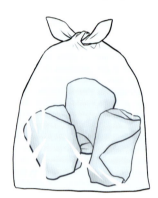

🖍 トウモロコシのミニちしき

しんせんなトウモロコシの 見分けかた

　しんせんなトウモロコシは、茶色のひげが ふさふさしています。ひげがないものを 買うときは、みが ふくらんでいて、ぎっしり つまっているものを えらびましょう。

みが ぎっしり つまっている。

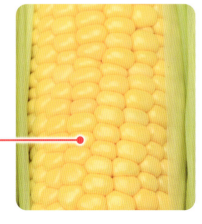

トウモロコシの ほぞんのしかた

　トウモロコシは、しんせんなものほど あまくて おいしいので、なるべく早く 食べましょう。
　すぐに食べられないときは、はっぱを つけたまま ラップでつつんで、れいぞうこの やさい室に 立てて ほぞんしましょう。

さくいん

あ

アブラムシ	13、23
アワノメイガのよう虫	23
インターネット	22
インタビュー	22
うえきばち	4
絵はがき	29
おしべ	7
おばな	19、23、24、25

か

花ふん	7、19、24
紙しばい	28
カメムシ	13
かんさつカード	5、12

さ

しちゅう	4、8
しゃしん	5
シャベル（スコップ）	4
しゅうかく	14、18、26
じゅふん	7、24
ジョウロ	4
せ	7、9、19、21

た

たね	4、6、7、17、19、23
タブレットたんまつ	5

た（つづき）

土（ばいよう土）	4、13、20、23
トウガラシ	16

な

なえ	4、7、8、9、12、19、20、21、23
ねっこ（ね）	7、8、19

は

はっぱ	5、7、9、10、12、13、16、18、19、21、23、30
花	5、7、10、11、13、14、16、19、24
ひげ	18、26、30
ひも	4、8
びょうき	13
ひりょう	4、13、23
プランター	4、8、13、20、23
へた	6、30

ま

み	6、7、10、14、15、17、18、19、20、23、24、26、27、30
虫	13、23
め	4、7、10、19、23
めしべ	7
めばな	19、24、25、26

わ

わきめ	10

監修 河村 亮(かわむら りょう)

1976年、広島県生まれ。三和農園代表。1997年、大分臨床工学技士専門学校卒業後、臨床工学技士として病院に勤務していたが、趣味で家庭菜園を始めたことをきっかけに兼業農家に転身。2014年より、専業農家として静岡県焼津市で三和農園を営む。インターネットを通じて野菜を販売しているほか、YouTubeに数多くの農業動画をアップロードし、注目を集めている。

〈指導〉
加藤真奈美(学習院初等科教諭)
長代 大(学習院初等科教諭)

〈企画・編集〉
山岸都芳、佐藤美由紀(小峰書店)
常松心平、飯沼基子(303BOOKS)

〈装丁・本文デザイン〉
倉科明敏(T.デザイン室)

〈イラスト〉
すぎうら あきら
はやみ かな(303BOOKS)
山岸詩織

〈撮影〉
土屋貴章(303BOOKS)
中村翔太

〈撮影協力〉
山岸詩織
りん
河村明来

〈写真〉
PIXTA(p3・6・7・10・13・15・16・17・18・23・30)／アマナ(p.9・14・17)／アフロ(p.16・17・19・24)

そだてる・かんさつ・まとめる
めざせ！やさい名人
❹ピーマン・トウモロコシ

2025年4月6日 第1刷発行

監　修　河村 亮
発行者　小峰広一郎
発行所　株式会社 小峰書店
　　　　〒162-0066 東京都新宿区市谷台町4-15
　　　　TEL 03-3357-3521　FAX 03-3357-1027
　　　　https://www.komineshoten.co.jp/
印　刷　株式会社 精興社
製　本　株式会社 松岳社

©2025 Komineshoten Printed in Japan
NDC620　31p　29×23cm　ISBN978-4-338-37004-2

乱丁・落丁本はお取り替えいたします。
本書の無断での複写(コピー)、上演、放送等の二次利用、翻案等は、著作権法上の例外を除き禁じられています。
本書の電子データ化などの無断複製は著作権法上の例外を除き禁じられています。
代行業者等の第三者による本書の電子的複製も認められておりません。

のかんさつカード

年(ねん)　組(くみ)　番(ばん)　名前(なまえ)

月(がつ)　日(にち)（　）天気(てんき)

だい